Edición original: **OQO editora**

© del texto y de las ilustraciones	Helga Bansch 2011
© de la traducción del inglés	Mark W. Heslop y Paco Liván 2011
© de esta edición	OQO editora 2011
Alemaña 72	36162 Pontevedra
Galicia	ESPAÑA
T +34 986 109 270	F +34 986 109 356
OQO@OQO.es	www.OQO.es
Diseño	Oqomania
Impresión	Tilgráfica
Primera edición	abril 2011
ISBN	978-84-9871-318-3
DL	PO 176-2011

texto e ilustraciones de **Helga Bansch**

Las aventuras de Osito

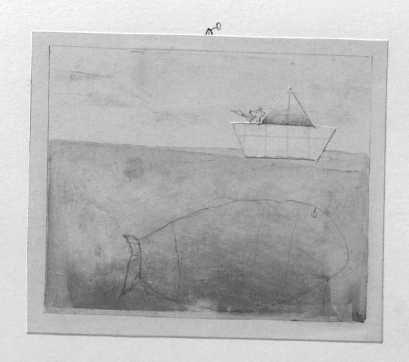

OQO editora

Osito estaba sentado bajo un árbol,
en lo alto de la colina,
soñando con el mar azul.

Después de hartarse de miel,
vio las abejas revoloteando a su alrededor, y pensó:

¿Qué harán las abejas durante el invierno?

El frío estaba a punto de llegar
y, como todos los osos,
Osito tenía que comer mucho y engordar
antes de dormir todo el invierno.

Entonces pasó por allí un músico ambulante
y le preguntó:

—¿Quieres venir conmigo?
  Te daré cama y comida.

—¿Qué tendré que hacer? —quiso saber Osito.

—Viajar, conocer mundo y entretener a la gente —dijo el músico.

Aquel hombre llegaba en el mejor momento,
porque Osito no tenía ningunas ganas
de quedarse en su cueva todo el invierno.

Osito, muy contento, exclamó:

—¡Me voy en busca de aventuras!

Y se fue con el músico.

Su casa era un carromato,
porque siempre estaban viajando de pueblo en pueblo.

Cuando empezaron a caer los primeros copos de nieve,
el músico le enseñó a bailar a Osito.

Era divertido.

Movía las patas al compás de la música
y todos se reían mucho.

A Osito le gustaba la vida de vagabundo,
pero el músico quería ir hacia el norte
y Osito al sur, hacia el mar, ¡claro!

Como no se pusieron de acuerdo,
en un cruce de caminos se despidieron
y cada uno se fue por su lado.

En un pueblo cercano, Osito encontró trabajo en una discoteca.
Bailando y haciendo acrobacias dejaba a todos con la boca abierta.

A los pocos días se acordó del mar,
y siguió su viaje.

Más adelante, se encontró con el circo Zambino.

Osito era un artista y disfrutaba
haciendo equilibrios en la cuerda floja.

Pero, por las noches, soñaba con el mar,
y decidió seguir su camino.

Después de varios días de viaje,
de pronto una mañana se quedó parado:

Ante él, bajo la luz del sol,
se extendía el mar, inmenso y azul.

Sentía el olor de los pinos, el rumor de las olas,
el parloteo de las gaviotas…

¡Qué hermoso!

Mucho más de lo que había imaginado.

Por el día trabajaba en un hotel junto al mar.

Todos andaban apurados,
pero, con él en la cocina,
era imposible aburrirse en el trabajo.

El cocinero removía en las ollas,
los camareros corrían de aquí para allá
y Osito hacía malabares mientras fregaba los platos.

Por las noches
podía comer pescado fresco:

¡estaba riquísimo!

La luna se reflejaba en el mar
y el arrullo de las olas era suave y agradable.

En sus días libres, Osito salía a navegar.

Le encantaba sentir el viento en la cara cuando iba en su barquito de vela…

Y bucear era... ¡Lo mejor del mundo!

Al llegar el verano empezó a hacer mucho calor
y la playa se llenó de gente.

¡Demasiada para Osito!

Entonces decidió volver a casa.

Tras muchos días de viaje,
llegó a la colina.

Cansado, pero feliz,
se tumbó bajo su árbol
y echó una siesta.

El zumbido de una abeja despertó a Osito.

Un olor dulce le entró por la nariz
y le hizo abrir los ojos.

Una linda Osita pasaba por allí,
pero ni siquiera lo había mirado.

Al momento, Osito saltó sobre sus patas traseras
y bailó como el músico le había enseñado.

Hizo malabares con unas manzanas y gruñó de emoción.

La Osita lo miró y sonrió.

—**Este oso llega justo a tiempo.**
  ¡El invierno es tan aburrido!

Muy risueña, le dio la bienvenida.

Desde entonces,
los inviernos de Osita y Osito
fueron muy muy divertidos.